おけいこサプリ

生花プラス

Ikebana lesson
Supplement

池坊 専永 監修
倉田 克史 著

はじめに

本書は、日々お稽古を楽しみながら、初心者の域から一歩踏み出して基礎を固めたい、もっと習熟したいと考えている方に向けて製作しました。

生花正風体の基礎はわかっていても、草木ごとに出生や性状は異なります。

7・5・3の役枝の力の比率、三分の一ごとの副と体の高さなどの型に沿いながらも、草木それぞれの「らしさ」を表現するには、作例を見ながら、繰り返しお稽古するしかありません。

四季の中で、ある草木がいけられるのは、ほんの少しの期間です。そのわずかな機会に、本書を参考にしていただき、日々の暮らしの栄養補助食品（サプリメント）のように、お稽古にプラスがもたらされれば幸いです。

目次

第1章

新風体　型のないいけ方

新風体は、多くの方の心に響き、今日の暮らしや住空間に合う花として、その魅力は計り知れないものです。これまでの生花の書籍は、正風体―新風体の順に解説するものでしたが、本書は一般のいけばな愛好者にも楽しんでいただけるよう、新風体の作品から掲載しました。まずは新風体への憧れと興味を高めていただき、新風体の基本構成については、章の最後で解説したいと思います。

ここで忘れてはならないのは、新風体は正風体の学びの上にあるということです。伝統ある型の持つ美しさを知り、その型を離れ、さらなる高みの美を探求する姿勢が新風体には求められます。

多くの約束事がある正風体に対し、新風体は気楽に取り組めます。しかし、時にそれが「難しい」と感じられることもあるでしょう。それは、逆に型がないが故のことだと思われます。正風体と新風体は、どちらが優れているということではなく、共に稽古を重ねていかなくてはなりません。大切なのは、花材の良さを引き出すために、正風体と新風体のどちらが適切なのかを見極める目なのです。

冬から春、花の少ない時期に美しい花を咲かせる水仙。
その表情からは、命の輝きが感じられます。

〈花材〉水仙　せきしょう　あおもじ

シクラメンの花色の美しさが際立つように、
葉のみを用いた水仙とアスパラガスの枯れ枝でシンプルに。

〈花材〉シクラメン　水仙　アスパラガス

れんぎょうの一枝の動きが天の星を仰ぐよう。
ストレリチアがその動きを受け止めています。

〈花材〉れんぎょう　ストレリチア　オクロレウカ

ようやく訪れた春。
物憂げにうつむくこでまりと、プリムラの出合いをガラス花器に。

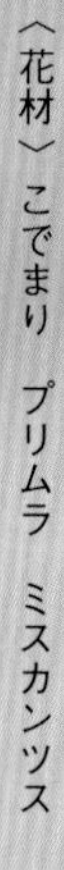

〈花材〉こでまり　プリムラ　ミスカンツス

寒すげの不規則な動きに、
桜をもてあそぶ風が感じられます。

〈花材〉桜　寒すげ　紫ラン

澄ました表情のマスデバリアに、
くわずいもがご機嫌伺いをしているようです。

〈花材〉マスデバリア　斑入りくわずいも　ドラセナ

二色のラナンキュラスたちの会話が聞こえてきます。

〈花材〉ラナンキュラス　ドラセナ　ミスカンツス

京かのことけむり草。
すらりと伸びた茎と、ふわりと柔らかい両者の質感を生かします。

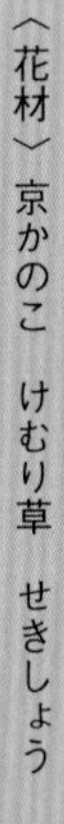

〈花材〉京かのこ　けむり草　せきしょう

大きく手を広げたようなパキラが、
まるでお出かけをする子どものようです。

〈花材〉姫かんぞう　パキラ　ティランジア

白と緑で統一された清々しい世界です。
奔放な動きをまとめて、一体感を出します。

〈花材〉パフィオペディルム　レースフラワー　スモークグラス

赤みがかった夏はぜと、抽き出るアナナスは情熱の表出。
ぎぼうしが冷静さを与えます。

〈花材〉アナナス　夏はぜ　ぎぼうし

真っ白なダリアに、
純粋に生きる清らかさを感じます。

〈花材〉ダリア　もみじ　グリーントリフ

色づき始めた雪柳の繊細な動きが、
アンスリウムと竹しゃがを包み込みます。

〈花材〉雪柳　アンスリウム　竹しゃが

三つの草木の動きを同調させることで、
まるで時が止まったかのように感じます。

〈花材〉パフィオペディルム　いがぐりすげ　けむり草

そのバラの名前は「イブ・ピアッチェ」。
一輪のバラの美しさは、百の言葉にも勝ります。

〈花材〉バラ　なんきんはぜ　コキア

生花新風体の基本構成

生花新風体は、陰と陽の二つの枝が基本となります。主材となる枝を「主」、これに対応する枝を「用」といい、これら二つの枝の働きを助ける枝として「あしらい」を加えた姿が、基本構成となります。

主と用は、お互いが無くてはならない関係です。長短、明暗、大小などは、どちらか一方では素性が明らかではありません。長は短によって、短は長によってそれとわかるように、主と用にもこうした関係があります。

あしらいは、主と用の関係（動き、色、季節感、バランスなど）を強める、あるいは補助するものとして用い、作品の目指す表現を明確にします。

主・用・あしらいは、それぞれが自己の役割を果たしながら、一体となっていなければなりません。草木の持つ生命の輝き、動きの中にある緊迫感を捉え、「もの」ではない「いのち」の姿を見いだすことで「明るさ」「鋭さ」「際立ち」が表現されます。

新風体には、正風体のように決まった型はありません。しかし、草木の持つ美が抽き出る部分として、正風体と同じく水際を大切にしなければなりません。また、伝書『定式巻』に「陰陽数弐本を躰とす」とあるよう、生花の原型として陰陽の設定を意識する必要があります。

陰陽を主と用に投影し、あしらいによってはっきりさせるための花材の選択、取り合わせの妙は、草木の出生、性状をより深く知ることで高めることができます。

第２章

正風体　型のあるいけ方

優しく撓めを効かせていきます。
大きい葉の省略は、鋏を用いず、手で加減します。

〈花材〉菜の花

出生に倣い、真の花を高く、真と副の葉の和合の外に挿し、蕾を体の葉の外へ挿して整えます。葉は陰の葉（裏葉）を一枚多く見せます。

〈花材〉アマリリス

副
真
体

蕾がちの花や開花など、表情の異なる花を用います。
真の前と後ろに同数のバラを配し、九本で構成しています。

〈花材〉バラ

アマリリスと異なり、葉の和合の内に花茎が生じる出生を二株でいけます。
花茎を高く真・副の株の中と、低く体の株の中に挿して整えます。

〈花材〉アガパンツス

副
真
体

一種生には小ぶりのものを用います。
花を高く、副と体に葉を働かせ、
葉は陽の葉（表葉）より一枚多く陰の葉を見せます。

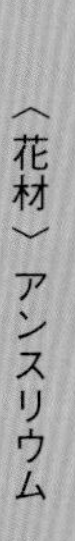
〈花材〉アンスリウム

立ち伸びる姿を生かし、細身にいけます。
開花と蕾を織り交ぜ、水際の葉を大切に扱います。

〈花材〉ききょう

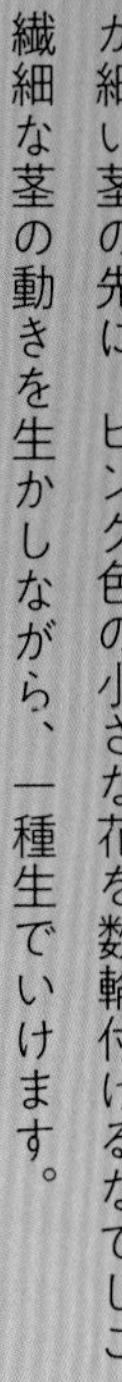

か細い茎の先に、ピンク色の小さな花を数輪付けるなでしこ。
繊細な茎の動きを生かしながら、一種生でいけます。

〈花材〉なでしこ

立ち伸びた姿に軽やかさを感じるおみなえしは、籠の花器がよく似合います。
大きい付き枝を前後に、小さい付き枝は左右に出るように扱います。

〈花材〉おみなえし

撓めが効かないので、茎の細いものを小ぶりにいけます。
葉の付き具合によっては、役枝一本でも十分な力を持っていることもあります。

〈花材〉ほととぎす

愛らしい花と蕾、繊細な葉と茎の優しい草姿が美しいコスモス。
変化のある茎の曲がりを生かしながら、花首の向きに注意していけます。

〈花材〉コスモス

置き生にはすぐやかな姿のものを用い、
花を高く、蕾を低く扱い、体の水際の葉を美しく働かせます。
葉を省略し過ぎると、らしさが失われます。

〈花材〉菊

青々と茂った葉から、花茎が高く伸び立つ出生を写します。
真に開花、体に蕾を入れることで、時の流れを感じさせます。

〈花材〉スパティフィルム

風雪に耐えた老木の趣を表すため、古木を用いて、荒々しい表情や鋭い緊張感をいけ表します。

下段に開花の多いもの、上段に蕾がちのものを用います。

〈花材〉梅

とげのある枝を奔放に広げるぼけ。
細い枝と太い枝、変化のある枝を取り交ぜ、自然感を出します。

〈花材〉ぼけ

山桜や牡丹桜などは「伝花桜」としていけますが、
啓翁桜や彼岸桜などの種類は
通常の花材と同じ扱いとします。

〈花材〉啓翁桜

梅が荒々しい表情を捉えていけるのに対し、桃はまろやかで優しい風情をいけ表します。

下段に小枝の付く開花の枝を扱い、柔らかな曲がりを生かします。

〈花材〉桃

えにしだの細くて長い枝は交錯して乱れやすいので、
線の重なりに注意します。一種でもいけますが、
花の咲いていない時期は他の花物を根〆として取り合わせます。

〈花材〉えにしだ　ブルーキャッツアイ

曲線を描いてしだれる姿を生かし、
生花では掛け花や釣り花など懸崖の姿にいけますが、
この作品のように置き生にもいけます。
ゆったりとした枝の動きを生かします。

〈花材〉こでまり　アイリス

みずみずしい若葉の頃、色づきを見せる青葉の頃、
紅葉の頃など、長期間楽しめる夏はぜ。
作品では、葉が色づく初夏、あざみの付き葉を生かして根〆としています。

〈花材〉夏はぜ　あざみ

花、青葉、紅葉……それぞれに美しさがある雪柳。
作品では、花が散った後の、
柔らかい淡緑色の葉を残した細枝の動きを生かしています。

〈花材〉雪柳　ゆり

小枝が横へ広がる性状を持つどうだんつつじ。
若葉を適度に省略し、枝を撓めて姿を整え、
「浜なでしこ」とも呼ばれる藤なでしこを根〆に添えました。

〈花材〉どうだんつつじ　藤なでしこ

横縞模様が意匠的な美しさを見せる矢筈すすき。
手早くいけて、みずみずしさを失わないように注意します。

〈花材〉矢筈すすき　姫ゆり

羽状に付いた葉の紅葉に、秋の情趣が漂うななかまど。
おみなえしやりんどうなど、色のはっきりした花物を根〆とし、
色のコントラストを楽しみます。

〈花材〉ななかまど　おみなえし

枝に密生する葉の緑が鮮やかな朝鮮槇は、
撓めが効くことからお稽古の花材に適しています。
作品では、小菊の白を取り合わせて爽やかにいけました。

〈花材〉朝鮮槇　小菊

光沢のある赤い実が美しい梅もどき。
椿や小菊などの白い花を根〆に添えて赤を際立たせます。
実は落ちやすいので、さばく時には注意が必要です。

〈花材〉梅もどき　椿

紅白の象徴的な取り合わせです。
南天は撓めが効かないので、枝ぶりを生かします。

〈花材〉南天　小菊

一種生でいけることの多い桃ですが、
草物を添えるとさらに柔らかな印象になります。

〈花材〉桃　アゲラツム

コンパクトにいけることで
赤芽柳の表情の違いをクリアにします。

〈花材〉赤芽柳　セイロンライティア

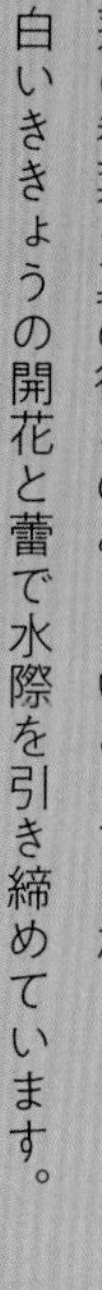
縦縞模様が爽やかな縞すすきを真と副にし、
蓮の巻葉を真の後ろのあしらいとしました。
白いききょうの開花と蕾で水際を引き締めています。

〈花材〉縞すすき　蓮　ききょう

アンペライの細い線で真、副を整え、
蕾の笹ゆりを真の後ろのあしらいに入れました。
ベルてっせんの動きのある細い茎で水際を締め、
軽やかにまとめています。

〈花材〉アンペライ　笹ゆり　ベルてっせん

三種生の体は、一種生・二種生では
できないような表現も可能です。

〈花材〉蓮　ヘリコニア　仙翁花

三種生ならではの
株分けの見せ方があります。

〈花材〉縞すすき　けむり草　日々草

手の平を広げたような葉を持つパキラを真と副にし、
縞ふといをそれぞれのあしらいとします。
水際は、質感の異なるアスティルベで引き締めています。

〈花材〉パキラ　縞ふとい　アスティルベ

梅もどきの屈曲のある枝で真と副を作り、
しだれ柳を真のあしらいとして前に振り出して風情を出しました。
赤・黄・白の色の取り合わせを楽しみます。

〈花材〉梅もどき　しだれ柳　椿

生花正風体の基本構成

生花正風体は、自然の草木の出生を捉え、様式化した花形です。その基本的な姿は、真、副、体の三つの役枝で構成され、ここに役枝それぞれのあしらいを加えて、全体を整えていきます。

真は一瓶の中心となる枝です。少し曲がりを見せながら正中線上に戻る動きを持たせ、上昇する姿を表します。真の高さは、花器の約3倍を目安とします。

副は真に添って出し、真の曲がり(腰)の下あたりから後ろ隅へ振りこみ、奥行きを出します。副の高さは、真の3分の2程度です。

体は、水際部分では真に添わせつつ、副とは逆の前隅に枝先を振り出します。体の高さは、真の3分の1程度とします。

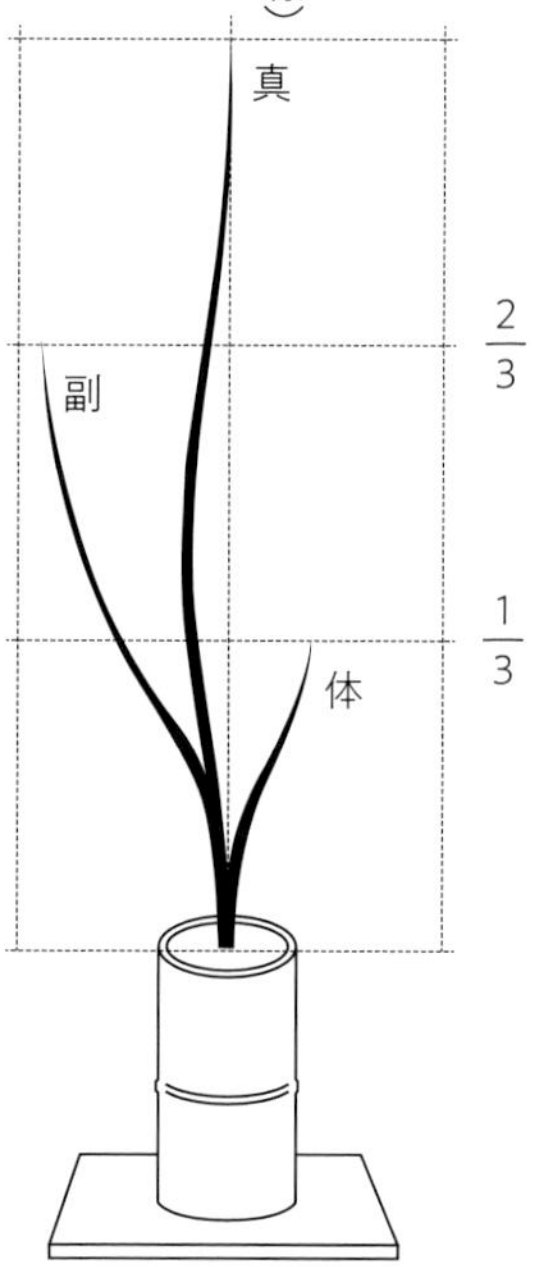

正風体には一種生、二種生、三種生があります。一種生は、花のある季節の草木一種だけで構成し、出生美をいけ表します。二種生は、真と副が花のない草木、あるいは季節感に乏しい場合、体に当季の花を入れ、二種類の草木で対照美を見せます。三種生は、三種類の草木を用い、その取り合わせによる融合美を楽しみます。

生花正風体の陰陽

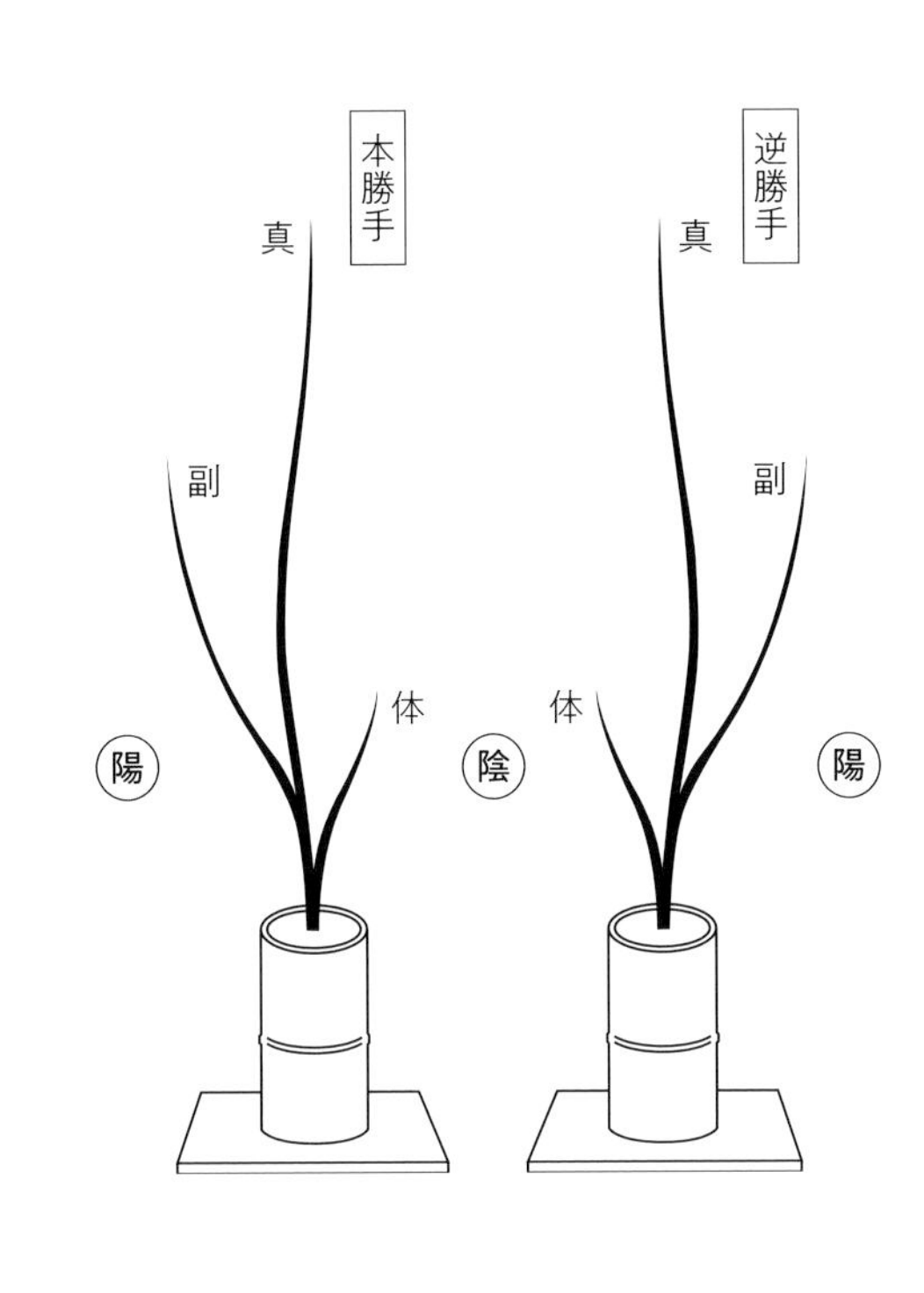

草木は太陽に向かいながら立ち伸びます。従って、真の枝が一度太陽に向かって立ち伸びようとする方……つまり真の曲がりがある方（副が出ている方）を陽方とし、その反対側を陰方とします。

この時、向かって左に陽が設定される場合を「本勝手」、右に設定される場合を「逆勝手」といいます。

花形の陰陽は、花が飾られる床の間の作りと深い関係があります。

床の間の外光が入る方（明かり先）からの光を受けて明るい側（明かり方）を陽方とし、その反対側を陰方と見なして、花形の陰陽を合わせます。

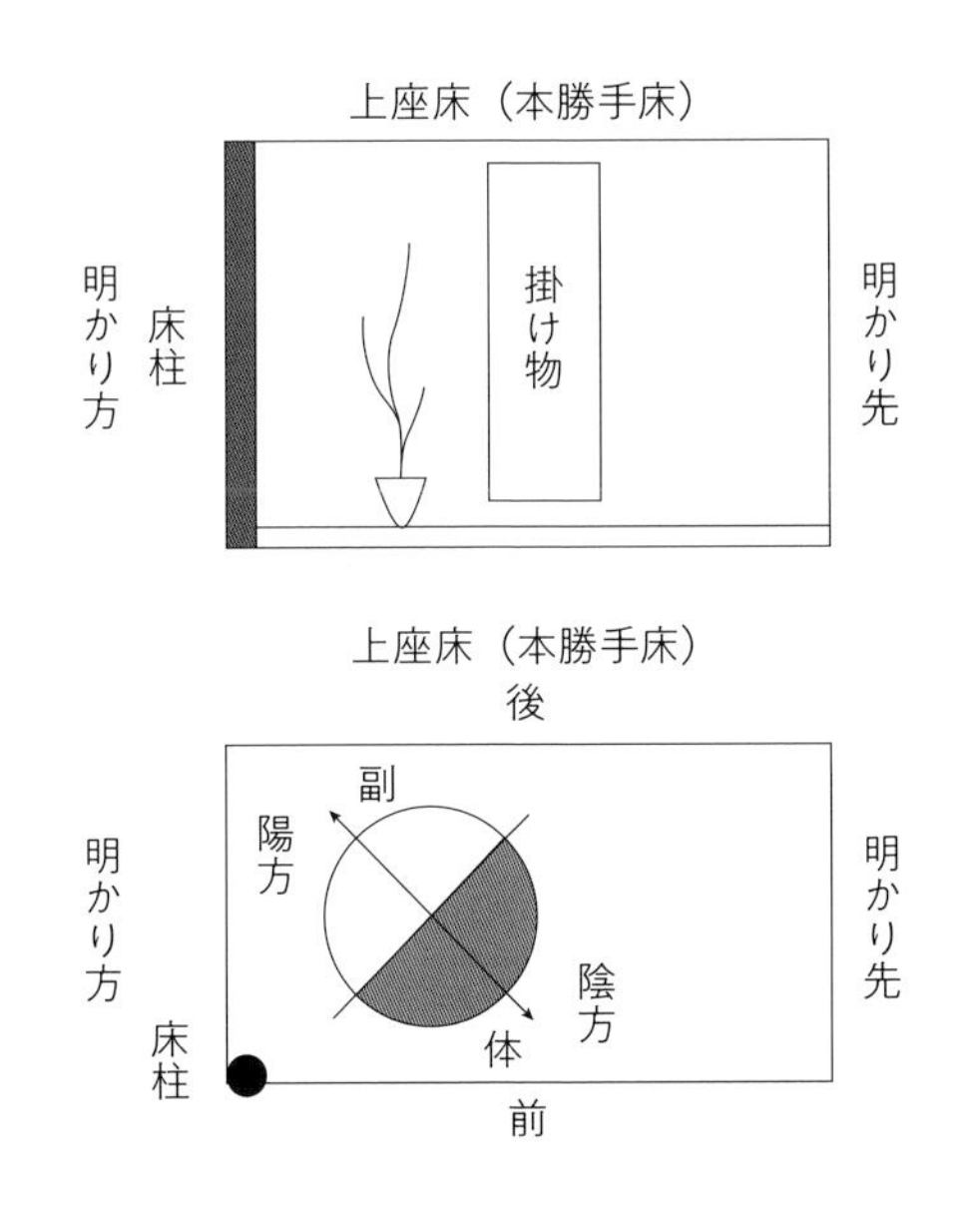

この時、床の間が向かって部屋の右側に設けられている場合を本勝手の床、左側にある場合を逆勝手の床といいます。従って、本勝手の床には本勝手の花、逆勝手の床には逆勝手の花が置かれるのが定めとなります。

花形の真・行・草

生花正風体の花形は、草木の出生や性状、飾られる環境、花器、表現の意図により変化し、その姿は真・行・草に区分されます。またこの真・行・草は、さらにそれぞれ真・行・草に区分され、計九つに細分されます。おおむね、真の花形は真の花器を用い、細身で端正な姿とします。行の花形では行の花器を用いて、ややゆったりとした姿に整えます。草の花形は、水盤や釣り、掛けなどの草の花器を用い、草木の変化ある姿を見せます。

草木の分類

生花では、草木を植物学上の分類ではなく、木物、草物、通用物に分けて扱います。木や草は見た目でおよそ判断できますが、中には木にも草にも通じる性状を持ち、どちらなのかよくわからないものがあります。これらを一まとめに通用物とすることで、草木の使い分けを容易にしています。

正風体では、役枝の挿し口において木は後ろ、草は前の原則があります。これは、木は高く、草は低い場所に生育している自然の様子を捉えてのことです。この時、判別しにくいものを通用物に分類することで、挿し口に迷うことがなくなります。通用物は、木より前、草より後ろに入れることが決められています。

通用物として代表的なものは、竹、藤、ぼたん、山吹、せんりょう、あじさい、しだなどです。

第３章

姿を捉えて

すらりと伸びる淡い黄緑色の細い枝が、細い枝を美しく生かします。
流れるような線を整えながら真と副にいけ、根〆の小菊で明るさを求めています。

〈花材〉こり柳　小菊

小さい冬芽を付けるこり柳の細い枝で真と副を整え、
寒菊を根〆にしました。枝の優美な曲線を生かします。

〈花材〉こり柳　寒菊

春、葉に先立って鮮やかな黄色の花を咲き連ねるれんぎょう。
自然で伸びやかな姿を生花の型の中で表現します。

〈花材〉れんぎょう

『生花別傳』に記された上段流枝は、
真または真のあしらいを大きく流すいけ方です。
変化のあるおおらかな枝の動きを生かしています。

〈花材〉れんぎょう

はらんは葉の陰陽表裏がはっきり見分けることができるため、
葉の陰陽と花型の陰陽との調和を学ぶのに適した花材です。
まずは7枚でお稽古します。

〈花材〉はらん

7枚の次は9枚で。真に用いた葉の表と、
副に用いた葉の表とが向き合うように取り合わせ、
体は葉の表を真と副の方へ向けます。

〈花材〉はらん

早春、葉に先駆けて黄色い小花を咲かせるさんしゅゆ。
細身のきね形の花器を用いて、真の花形で端正な姿に整えた作品です。

〈花材〉さんしゅゆ

太い枝、細い枝、屈曲した枝など、
変化に富んださんしゅゆの
枝の姿を、行の花形で捉えた作品。
真の花形とは違う、雄大な姿が見どころです。

〈花材〉さんしゅゆ

趣あるさんしゅゆの枝ぶりを草の花形で捉えた作品。
古木らしい屈曲を生かすことで、生命感に溢れた姿になります。

〈花材〉さんしゅゆ

第４章

伝統のいけ方

五ヶ條　実物

せんりょうは実物ですが、
祝儀の花として一種でいけてよいとされています。

〈花材〉せんりょう

五ヶ條　葉物

真と副の間を遠く、
副と体の間を近くいけるのがコツです。

〈花材〉ぎぼうし

五ヶ條　葉物

鮮やかな紫の花と、剣状の葉が美しいかきつばた。
水草の長葉物として扱い、四季それぞれの姿を映して、
一種生や二株生などさまざまな花形にいけます。

〈花材〉かきつばた

五ヶ條　葉物

かきつばたは、葉株をなす出生により、葉を組んでいけます。一枚一枚の葉の表情を見ながら、群生する姿を思わせるようにいけるのがポイントです。

〈花材〉かきつばた

五ヶ條　葉物

水陸通用物として、
かきつばたと同じく葉を組んでいける花しょうぶ。
開花を高く、蕾はやや低く配し、
下段は葉だけで整えて素直に伸びる姿をいけ表します。

〈花材〉花しょうぶ

七種傳

蓮は、蕾、開花、蓮肉、そして鐘木葉、開き葉、破れ葉とさまざまな形の葉を取り合わせ、現在・過去・未来の三世を表現します。

〈花材〉蓮

七種傳

凜とした姿で立ち伸び、冬の花の最上とされる水仙。
開花した花茎を一株、蕾の花茎を一株の、
たった二株で生花の姿に整えます。

〈花材〉水仙

七種傳

葉は組み直し、白根にはめ込み、
葉のねじれを整えながらいけます。
葉組には「だんだん」と「ちどり」があります。

〈花材〉水仙

七種傳

万年青は、青々と枯れることなく
葉が生育する性状から、古い葉と新しい葉を用い、
偶数の葉数に実を加えて奇数とします。

〈花材〉万年青

交ぜ生

交ぜ生は、秋の草物二種類をいけ交えて
三儀を整え、一瓶にまとめるいけ方です。
作品では、すすきとききょうを
交ざり合うようにいけています。

〈花材〉すすき　ききょう

水陸生

陸物と草物を株を分けていける水陸生。
陸物の前には石を置き、陸地であることを示します。

〈花材〉夏はぜ　かきつばた

魚道生

水物を二株に分けていける魚道生。男株に真と副、女株に体をいけるのが基本とされています。

この作品では、かきつばた一種で男株、女株を整えています。

〈花材〉かきつばた

緑文字　一種生で用いられたページ

花材さくいん

著者プロフィール

倉田 克史（くらた かつひと）

1976年　池坊に入門
2018年　池坊中央研修学院准教授

おけいこサプリ 生花プラス

発　行　日：2021年9月10日　第1版第1刷発行

監　　　修：池坊 専永
著　　　者：倉田 克史
発　行　者：池坊 雅史
発　行　所：株式会社 日本華道社
〒604-8134
京都市中京区烏丸三条下ル堂之前町235
電話　営業部075-223-0613
　　　編集部075-221-2687
編　　　集：日本華道社 編集部
デザイン・制作：Seeds of Communication
印 刷・ 製 本：図書印刷株式会社

ISBN 978-4-89088-173-4